Le Bêbête show - 1

Maquette Anne Lorelle
Lettrage André Schwartz

Amadou
Collaro - Roucas

Le Bêbête show 1

8 AVRIL 1988

J-30

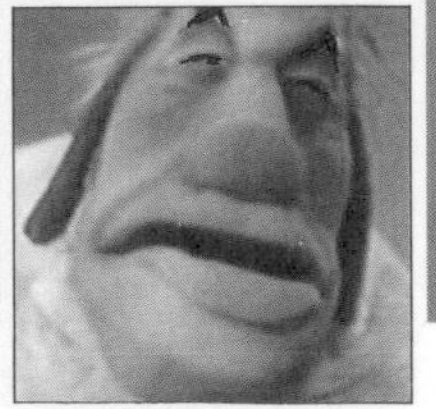

SALUT À TOUS ! CETTE FOIS LA CAMPAGNE OFFICIELLE EST OUVERTE ET NOUS ALLONS VOUS PRÉSENTER, **ANNE DUGORET** ET MOI-MÊME, LES CANDIDATS QUI SONT AU NOMBRE DE NEUF !

OUAIS, Y EN A QUI SONT PAS NOUVEAUX, NÉANMOINS ILS SONT NEUF... AH ! ELLE EST BONNE CELLE-LÀ ! TOUTE FAÇON, VOUS CASSEZ PAS LA TÊTE... LES CANDIDATS : Y EN A QU'UN DE BON, C'EST LE MIEN !

TOUT DE SUITE LE CANDIDAT ÉCOLOGISTE : MONSIEUR **WAECHTER CLOSED** !

BONJOUR ! JE ME PRÉSENTE AUX ÉLECTIONS EN "VERT" ET CONTRE TOUS PARCE QUE J'ADORE LA CAMPAGNE ! Y EN A ASSEZ DE TOUS CES POLITICIENS QUI FONT DES SALADES, J'ESPÈRE NÉANMOINS DEVENIR UNE GROSSE LÉGUME...

...DE LA POLITIQUE... ET SI JE FAIS 5% DES VOIX, CE SERA POUR MA POMME !
VOUS COMPTEZ FAIRE COMBIEN ?
COMMENT ? COMMENT VOUS DITES ? QU'EST-CE QUE C'EST ??

JE VOUS DEMANDE COMBIEN VOUS COMPTEZ FAIRE ?

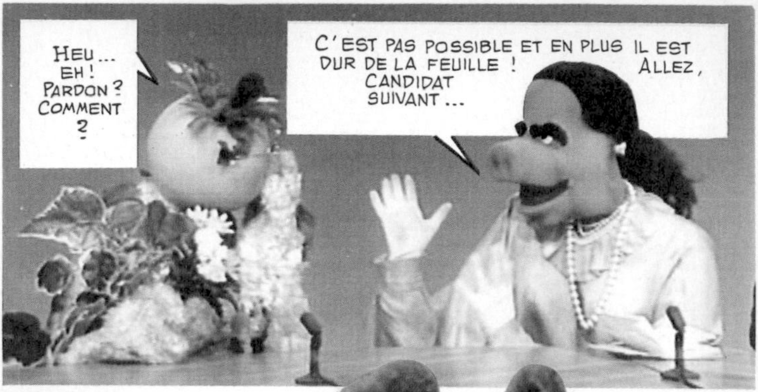

HEU... EH ! PARDON ? COMMENT ?

C'EST PAS POSSIBLE ET EN PLUS IL EST DUR DE LA FEUILLE ! ALLEZ, CANDIDAT SUIVANT...

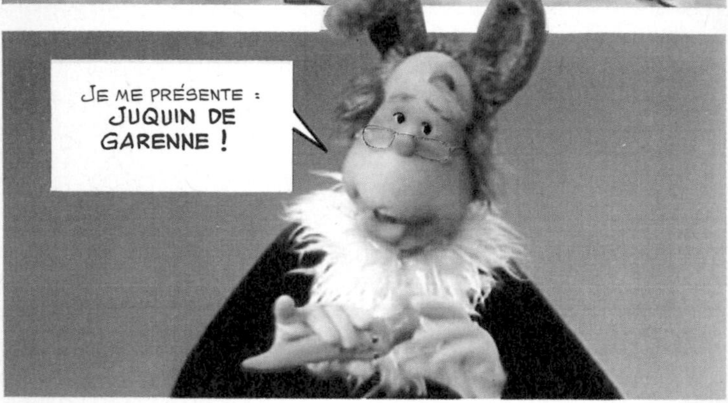

JE ME PRÉSENTE : **JUQUIN DE GARENNE !**

LES DIVISIONS ACTUELLES DE LA GAUCHE PROVIENNENT D'UNE FRAGMENTATION SOUS-JACENTE MAIS NÉANMOINS COMPLÉMENTAIRE QUI N'EST QUE LA RÉSULTANTE D'UN MOUVEMENT LATÉRAL ET COMPOSITE QUI S'EXERCE À L'ENCONTRE DES INTÉRÊTS DE CEUX QUI LA COMPOSENT, PROVOQUANT PAR LÀ MÊME, UNE DIFFÉRENCIATION THÉORIQUE DES IDÉOLOGIES EN QUESTION !

C'EST POUR ÇA QUE JE SUIS CANDIDAT !
ON PEUT DIVISER EN 3 PARTIES DISTINCTES...

AH, ÇA SUFFIT ! IL EST FATIGANT CELUI-LÀ, IL A TOUJOURS ÉTÉ COMME ÇA... AU COMITÉ CENTRAL, CHAQUE FOIS QU'IL PARLAIT, FALLAIT APPELER GARAUDY POUR QU'IL TRADUISE... C'EST POUR ÇA QU'ON L'A VIRÉ D'AILLEURS ! ... ALLEZ, CANDIDAT SUIVANT...

BONJOUR, JE ME PRÉSENTE : ARLETTE LA BELETTE !

EH BEN, QUAND ON PENSE QUE C'EST LA SEULE NANA DE LA CAMPAGNE, ON EST PAS GÂTÉS ... ILS ONT PAS ÉTÉ LA CHERCHER DANS PLAY BOY CELLE-LÀ !... ET VOUS ALLEZ VOIR QUE QUESTION TEXTE ...
...C'EST ENCORE PIRE QUE JUQUIN !

MERCI ! LES TRAVAIL-
LEURS ET TRAVAILLEU-
SES QUI SAVENT QUE RIEN NE
S'OBTIENT SANS LES LUTTES ET
QUE LA CLASSE OUVRIÈRE A
TOUJOURS ÉTÉ UN INSTRU-
MENT AUX MAINS DU
CAPITAL QUI S'EN
SERT POUR AS-
SERVIR LES
MASSES LABORIEUSES...
ECOUTEZ, ANNE DUGORET ... LAISSEZ-LA PARLER !

...QUE LA MÉNAGÈRE VOIT DIMINUER SON POUVOIR D'ACHAT ET QUE DEMAIN SERA UN JOUR NOUVEAU À CONDITION QUE CHACUN SACHE BIEN QUE LES URNES N'APPORTENT AUCUNE AMÉLIORATION ET QUE C'EST PAR LE COMBAT DE TOUS LES INSTANTS DANS LES ATELIERS ET LES BUREAUX...

HO LA LA ! J'SAIS PAS OÙ EST LA PRISE MAIS FAUT LA DÉBRANCHER TOUT DE SUITE... CELLE-LÀ ... J'EN PEUX PLUS !!
QUEL EST LE CANDIDAT SUIVANT ?

BON, VOUS AVEZ TOUS COMPRIS... À QUEL POINT, VOUS ALLEZ VOUS EMMERDER PENDANT UN MOIS... HEUREUSEMENT Y A LE MIEN ! AH ! C'EST LE MEILLEUR !! AH NON, MAIS JE SUIS IMPARTIAL, J'M'EXCUSE SINON JE SERAIS PAS COMMUNISTE... IL EST PRESQUE AUSSI BIEN QUE MOI... VAS-Y MON PETIT DÉDÉ !

JE ME PRÉSENTE : **DÉDÉ LA JOIE TRISTE**, CANDIDAT COMMUNISTE !

VOUS AVEZ VU, C'EST LE SEUL QUI DIT DES CHOSES SENSÉES... IL SAIT DE QUEL PARTI IL EST CANDIDAT, C'EST LE SEUL QUI DIT QUE LA CLASSE OUVRIÈRE EST EXPLOITÉE ! COMMENT ELLE EST LA CLASSE OUVRIÈRE ?
ELLE EST... HEU... EXPLOITÉE !

FORMIDABLE ! IL EST PAS BIEN ? TIENS, C'EST LE SEUL QUI DIT QUE LE GRAND CAPITAL MULTINATIONAL EST TENTACULAIRE !
COMMENT IL EST LE GRAND CAPITAL MULTINATIONAL ?
HEU, HEU...

TENTA...
TATEN...
OUAIS ! BEN QU'EST-CE QUE T'AT-
JUSTEMENT !
TENDS...

TENTACU-
LAIRE !
AH ! IL M'ÉPATE ! ET C'EST LE SEUL QUI DIT QUE
L'UNION SOVIÉTIQUE EST UNE DÉMOCRATIE !
C'EST
QUOI
L'UNION
SOVIÉTIQUE ?

OH !
HEU !
...
C'EST UNE DÉMO...

DÉMO... DÉMO... NIAQUE !
MAIS NON ! UNE DÉMO...
DÉMO... DES MOTS CROISÉS !

MAIS QU'IL EST CON ! ON AVAIT RÉPÉTÉ AVANT L'ÉMISSION...

...TU L'AVAIS DIT 258 FOIS À L'ENTRAÎNEMENT !...
JE M'EXCUSE, MAIS NOUS DEVONS ACCUEILLIR AUSSI MONSIEUR **BOUSSEL** ALIAS **LAMBERT**, LE CANDIDAT TROSKISTE !

QUOI, UN CANDIDAT TROSKISTE?... ÇA VA PAS... L'ÉMISSION EST TERMINÉE, ON A PAS LE TEMPS ! TAISEZ-VOUS ELKABACH !!
MAIS ENFIN...

MAIS JE M'APPELLE PAS ELKABACH... VOUS DITES N'IMPORTE QUOI...
ELKABACH, VOUS N'ÊTES QU'UN CLOWN !

BEN PARFAITEMENT, COMME TOUT LE MONDE ! Y A PAS DE TROSKISTE, Y A JAMAIS EU DE TROSKISTE ... COMPRIS, ELKABACH ?!!
...

11 AVRIL 1988

J-27

QUI C'EST QUI VEUT DES VOIX ... QUI C'EST QUI VEUT DES VOIX...

MOI ... MOI... MOI...

ET BEN FUME ... DE TOUTES FAÇONS JE NE DONNERAI RIEN AVANT LA FÊTE DE JEANNE D'ARC ... À PROPOS **BARZY**, TU SAIS QU'IL N'Y A PRESQUE PAS DE DIFFÉRENCE ENTRE VOUS DEUX ET JEANNE D'ARC ...

MAIS POUR-QUOI ÇA ?

ET BEN, JEANNE D'ARC ÉNTENDAIT DES VOIX ...
... ET VOUS, VOUS ATTENDEZ MES VOIX ...

NE L'ÉCOUTE PAS, PETIT **BARZY** ... MAIS QU'EST-CE QUE TU AS MA POULE, TU AS L'AIR TOUT TRISTE ...

M'EN PARLE PAS.. J'AVAIS UN BEAU BATEAU AVEC MARQUÉ "**BARRE CONFIANCE 88**" EN LETTRES D'OR SUR LES VOILES, IL A PRIS LE DÉPART À **LA ROCHELLE** ET BEN IL A, COULÉ...

NE PLEURE PAS, JE T'EN RACHÈTERAI UN AUTRE !!

MAIS QU'EST-CE QUE VOUS AVEZ TOUS À ÊTRE SI GENTILS AVEC MOI ?

TU N'AS PAS ÉCOUTÉ MON DISCOURS DE RENNES ??? J'AI DIT PLEIN DE BIEN DE TOI ! J'AI DIT QUE TU N'ÉTAIS PAS MÉCHANT ! QUE TU AVAIS DE LA VALEUR !...

...QUE TU ÉTAIS UN PEU CON PEUT-ÊTRE, MAIS TELLEMENT ATTACHANT...

NE L'ÉCOUTE PAS... C'EST UN FAUX CUL... TON SEUL AMI C'EST MOI !!
ARRÊTE ! TU ME FAIS MAL !!!

JE VAIS T'AIDER À REMONTER DANS LES SONDAGES !!!

S'IL TE PLAÎT, ARRÊTE DE M'AIDER... PARCE QUE PLUS TU M'AIDES ET PLUS JE BAISSE...

C'EST **PASQUA** QUI M'A EXPLIQUÉ ÇA ... IL FAUT REMONTER **BARRE** POUR SE FARCIR LA GRENOUILLE AU 2èmeTOUR... IL ME L'A DIT TEXTUEL-LEMENT ... JE TROUVE **BARRE BA PAPA**.

A BARBE A PAPA ... ELLE EST EXCELLENTE, JE VAIS TÉLÉPHONER À LÉO...

NON ... NON ... NON ... ARRÊTE TES CONNERIES, TU SAIS BIEN QUE TU LE FAIS JAMAIS RIRE ... DE TOUTES FAÇONS, MOI JE SUIS TA FAMILLE ...

ET MOI JE SUIS TON AMI ... ET N'OUBLIE PAS, ON CHOISIT SES AMIS MAIS ON SUPPORTE SA FAMILLE ...

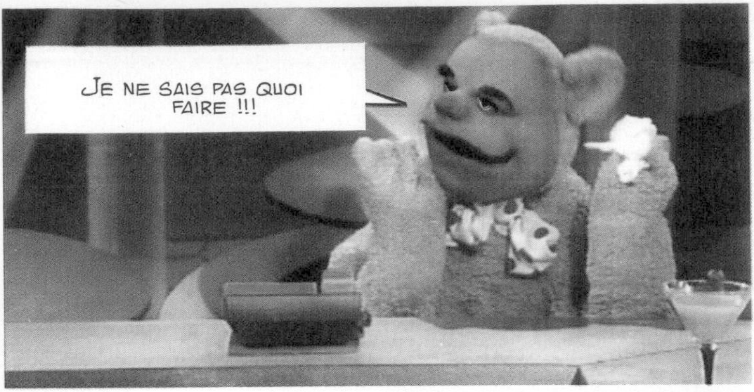

JE NE SAIS PAS QUOI FAIRE !!!

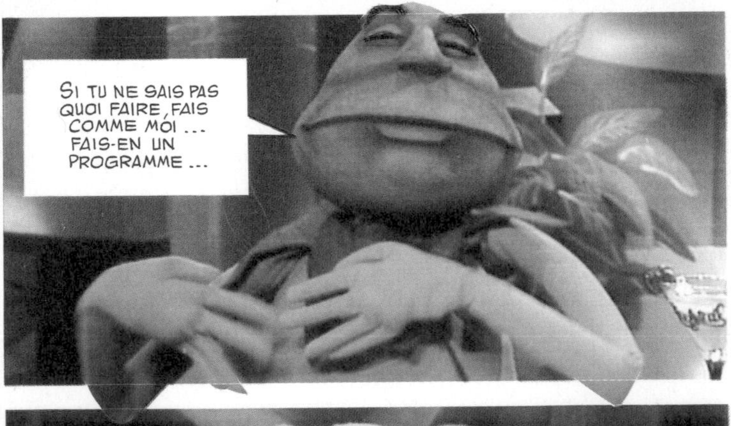

SI TU NE SAIS PAS QUOI FAIRE, FAIS COMME MOI ... FAIS-EN UN PROGRAMME ...

BEN VOUS FERIEZ UN GOUVERNEMENT !!!
DE GAUCHE !!!

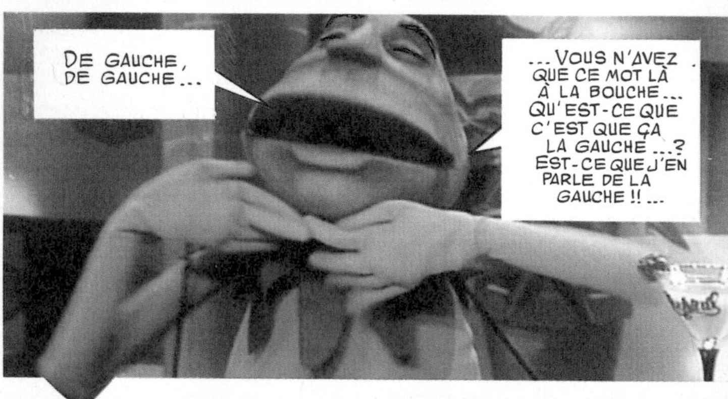
DE GAUCHE, DE GAUCHE...
...VOUS N'AVEZ QUE CE MOT LÀ À LA BOUCHE... QU'EST-CE QUE C'EST QUE ÇA LA GAUCHE...? EST-CE QUE J'EN PARLE DE LA GAUCHE !!...

ILS SONT AGAÇANTS... JE VOUS JURE... Y A DES JOURS OÙ MÊME **DIEU** EN A PLEIN LES BURNES !!!

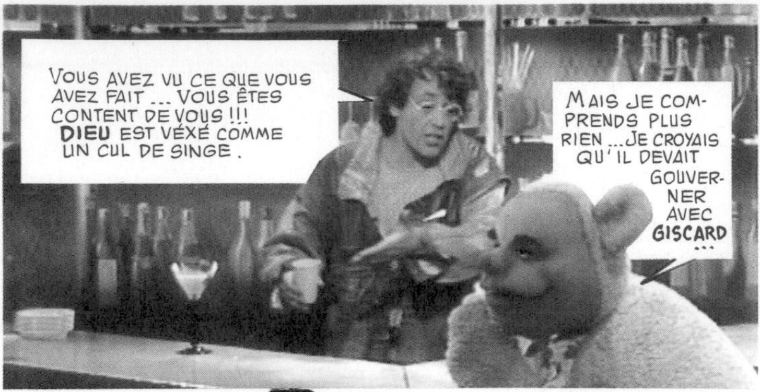

VOUS AVEZ VU CE QUE VOUS AVEZ FAIT ... VOUS ÊTES CONTENT DE VOUS !!! **DIEU** EST VÉXÉ COMME UN CUL DE SINGE.

MAIS JE COMPRENDS PLUS RIEN ... JE CROYAIS QU'IL DEVAIT GOUVERNER AVEC **GISCARD** ...

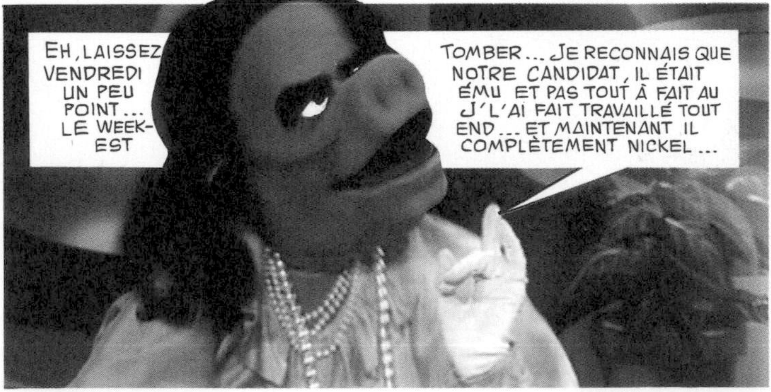

EH, LAISSEZ
VENDREDI
UN PEU
POINT...
LE WEEK-
EST

TOMBER... JE RECONNAIS QUE
NOTRE CANDIDAT, IL ÉTAIT
ÉMU ET PAS TOUT À FAIT AU
J'L'AI FAIT TRAVAILLÉ TOUT
END... ET MAINTENANT IL
COMPLÈTEMENT NICKEL...

JE SUIS COMPLÈTEMENT NIQUÉ...
Fri

MAIS QU'IL EST CON, MAIS QU'IL EST CON... EXCUSEZ-LE ELKABACH.
Friloc

MAIS ARRÊTEZ DE M'APPELER ELKABACH... C'EST HORRIPILANT !!!
A DEMAIN!!!

12 AVRIL 1988

J-26

BON, ÉCOUTEZ Mme MARCHY, JE VEUX BIEN LAISSER LA PAROLE À VOTRE CANDIDAT MAIS ON A ASSEZ PERDU DE TEMPS COMME ÇA ... J'ESPÈRE QU'IL EST AU POINT ... PARCE QU'IL Y EN A D'AUTRES, HEIN ...

VOUS INQUIÉTEZ PAS, IL A RÉPÉTÉ TOUTE LA NUIT, ET LÀ ÇA VA MARCHER ... J'M'EN PORTE GÉRANT ... VAS-Y DÉDÉ ...
riloc

JE SUIS TRÈS HEUREUX D'ÊTRE CANDIDI ...
iloc

T'ES TROP CON À LA FIN ...
... TU PEUX PAS ÊTRE CANDIDI PUISQUE TU ES TOUT SEUL. ON DIT UN CANDIDAT, DEUX CANDIDI ...

MAIS TOI ET MOI, ON N'EST PAS DEUX ?...
BEN ÉVI- QU'ON EST
DEMMENT DEUX...

BEN PUIS- QU'ON EST DEUX, JE SUIS TRÈS HEUREUX D'ÊTRE CANDIDU ...

BON, J'VAIS RESTER CALME ! DÉDÉ, J'VAIS REPRENDRE DEPUIS LE DÉBUT ... DEUX ET DEUX, ÇA FAIT COMBIEN ?...
Frilo

ÇA FAIT DEUX-DEUX ...
BON, BEN MOI J'DÉMISSIONNE ...
Frilo

TIENS JUQUIN DE GARENNE, TOI QUI ES UN INTELLECTUEL, EXPLIQUE-LUI UN PEU LA DIABÉTIQUE ...
Frilo

PARDON, LA DIALECTIQUE ...
OUAIS, SI TU VEUX, LA DIÉTÉTIQUE ...
LA DIALECTIQUE OUVRIÈRE
EST FONDÉE SUR LA SIMPLICITÉ
SANS POUR AUTANT SE DÉPARTIR
D'UNE CARACTÉRISTIQUE NOMINATIVE, DONT NE PEUVENT
PAS ÊTRE EXCLUS L'ITHOS ET
LE PATHOS.

TU AS COMPRIS DÉDÉ?...

NON !!!
Friloc

REMARQUE, MOI NON PLUS...

C'EST POURTANT SIMPLE : SI ON SE RÉFÈRE AU PRINCIPE FONDAMENTAL EXPRIMÉ PAR BABEUF ET JULES **GUESDE**, SANS NÉGLIGER LES DIVISIONS IDIOMATIQUES ESSENTIELLES SUR LESQUELLES S'EST APPUYÉ MARX IL EN RÉSULTE UNE SCISSION...

ÇA SUFFIT, VOUS NOUS GONFLEZ, C'EST CLAIR ?!!

AH LÀ, POUR UNE FOIS, J'SUIS BIEN D'ACCORD AVEC VOUS **ELKABACH**...
JE NE M'APPELLE PAS **ELKABACH**...

EH BEN, LE NIVEAU EST BAS, IL ÉTAIT TEMPS QUE DIEU ARRIVE ... VOUS AVEZ VU CE QUE M'A FAIT, CHIRAC ... BONJOUR, LE COUP FOURRÉ... IL M'A FAIT UN PROCÈS POUR MES AFFICHES, SOUS LE PRÉTEXTE QU'ELLES SONT TROP GRANDES ...

...C'EST VRAI, QU'ELLES SONT GRANDES...
...MAIS MOI, JE SUIS DANS UN PETIT COIN, AVEC HUMILITÉ ... DIEU SAIT ÊTRE HUMBLE, PARFOIS, QUAND IL A BESOIN DES HOMMES ...

C'EST PAS SEULEMENT POUR ÇA, TU T'ES SERVI DU DRAPEAU TRICOLORE, LE BLEU, LE BLANC, ET LE ... ET LE ... OH CROTTE, ENFIN BREF Y AVAIT LES TROIS...

MAIS NON DE MOI, SUR UNE AFFICHE EN COULEUR, IL FAUT METTRE DES COULEURS...

T'AVAIS QU'À METTRE DU VERT...

MERCI, VERT SUR VERT, ON M'AURAIT MÊME PAS VUE...
DU JAUNE, ALORS...
OH NON, C'EST LA COULEUR DES COCUS, ET BARZY A ACHETÉ TOUT LE STOCK...

CROTTE, C'EST VRAI ! BEN DU NOIR, ALORS...
EH OH, ÇA VA PAS, C'EST LA COULEUR DES VIEUX...
ET BEN JUSTEMENT, C'EST PARFAIT POUR TOI...

BLACK JACK, N'OUBLIE PAS QUE DIEU N'A PAS D'ÂGE...
VOUS CASSEZ PAS LA TÊTE, PRENEZ DU ROSE...
AH! NON... PAS LE ROSE ...NON...ÇA ME REGARDE, J'AI MES RAISONS, C'EST PERSON- NEL...

MAIS, ENFIN, C'EST LA COULEUR DES SOCIALISTES...
DES QUOI ?... LES SOCIALISTES, ÇA EXISTE ENCORE ÇA ?... C'EST INCROYABLE, JOSPIN NE ME DIT JAMAIS RIEN...

TENEZ, ROUCAS, UNE PETITE FIGURINE À MON EFFIGIE ; VOUS LA PORTEREZ EN SOUVENIR DE MOI ...

AH! BEN MERCI ...
JUSTEMENT KERMIT-TERRAND M'EN AVAIT OFFERT UNE !!!

AH NON ! AH NON !
NE METTEZ PAS CELLE-LÀ ...

13 AVRIL 1988

J–25

SALUT ! BIENVENUE AU BAR DES CANDIDATS ...
ARLETTE ! ON SE DÉPÊCHE ! Y A ENCORE 50 ASSIETTES À FINIR !

C'EST L'EXEMPLE TYPE DE L'ABRUTISSE-MENT DES MASSES POUR LES CADENCES INFERNALES QU'IL FAUT ABSOLUMENT RÉDUIRE DANS L'INTÉRÊT DES TRAVAILLEURS ...

TIENS, TIENS, TIENS, C'EST VOTRE NOUVELLE PLONGEUSE Mr JEANNOT ? ON PEUT SAVOIR COMBIEN VOUS LA PAYEZ ...

JE LA PAYE PAS ! MAIS EN ÉCHANGE, J'AI PROMIS DE VOTER POUR ELLE ...
BEN OUI, COMME ÇA JE SUIS SÛRE D'AVOIR AU MOINS UNE VOIX... ÇA VAUT LE COUP !!!

ENFER ET POLLUTION ! IL SERAIT TEMPS DE CRÉER UN FRONT DE RÉSISTANCE FACE AUX CANDIDATS VEDETTES ...

SALUT LES MINABLES ! ALLEZ JE PAYE MA TOURNÉE, HIER, C'ÉTAIT MON ANNIVERSAIRE ... 64 BOUGIES : ELLES ONT TOUTES ÉTÉ SOUFFLÉES...

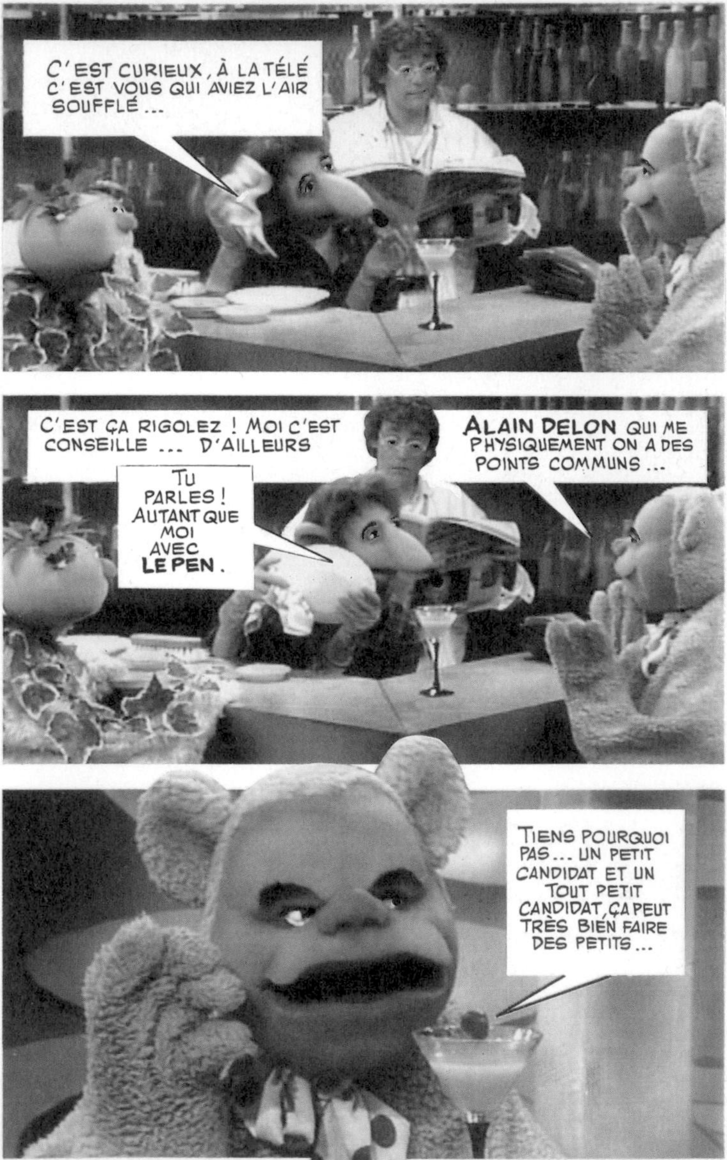

C'EST ÇA RIGOLEZ ! MOI C'EST CONSEILLE ... D'AILLEURS

ALAIN DELON QUI ME PHYSIQUEMENT ON A DES POINTS COMMUNS ...

TU PARLES ! AUTANT QUE MOI AVEC LE PEN.

TIENS POURQUOI PAS ... UN PETIT CANDIDAT ET UN TOUT PETIT CANDIDAT, ÇA PEUT TRÈS BIEN FAIRE DES PETITS ...

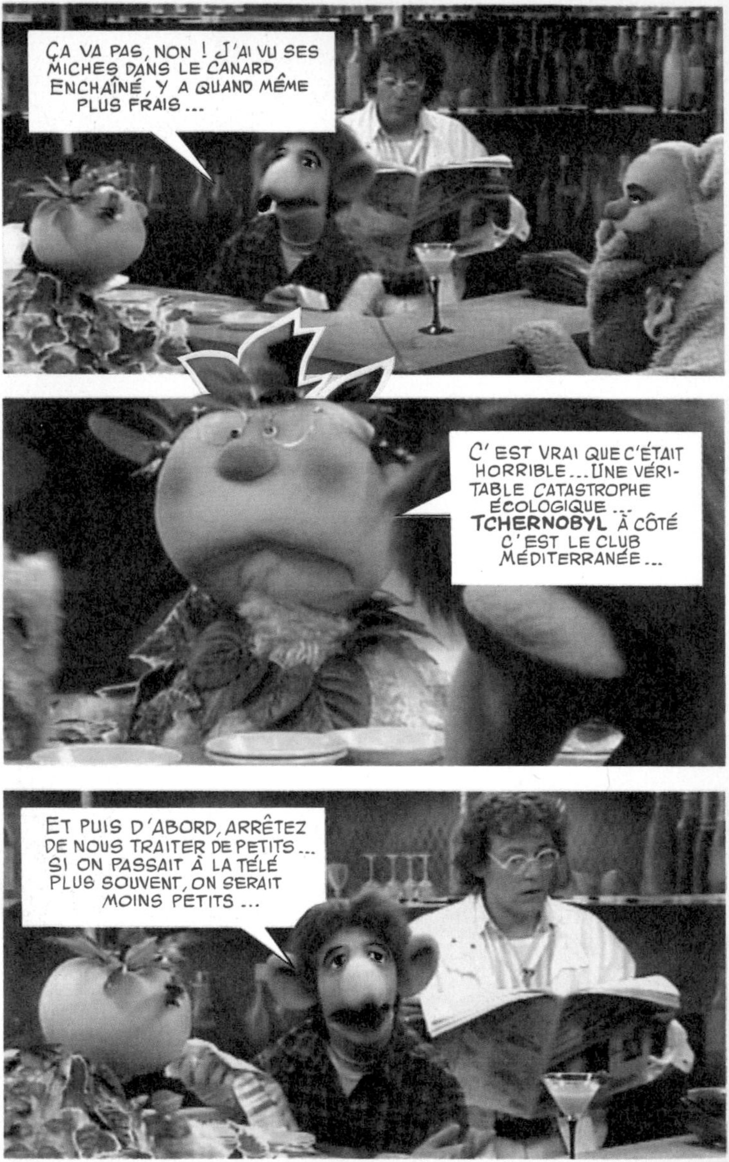

ÇA VA PAS, NON ! J'AI VU SES MICHES DANS LE CANARD ENCHAÎNÉ, Y A QUAND MÊME PLUS FRAIS ...

C' EST VRAI QUE C'ÉTAIT HORRIBLE ... UNE VÉRITABLE CATASTROPHE ÉCOLOGIQUE ... **TCHERNOBYL** À CÔTÉ C' EST LE CLUB MÉDITERRANÉE ...

ÇA VEUT RIEN DIRE : REGARDEZ BOUVARD !!!

ELLE A RAISON ! NOUS NE SOMMES PAS PLUS PETITS QUE LES AUTRES...
A PARTIR, DE MAINTENANT, IL N'Y AURA PLUS DE DISCRIMINATION CANDIDATOIRE, ENTRE LES GRANDS ET LES PETITS...

BONJOUR BARZY... COMMENT VAS-TU ?!

TIENS, TU BOIS UN VERRE AVEC LES PETITS ...
OUH OUH OUH, PERSONNE NE M'AIME.

C'EST MON ANNIVERSAIRE ! DELON A SOUFFLÉ MA BOUGIE !

TIENS, JE NE SAVAIS PAS QU'IL AVAIT DES MŒURS CONTRE NATURE...
AU FAIT, QUEL ÂGE AS-TU ?

64 ANS !
64 ANS ! ET BEN DIS DONC, T'ES PLUS TOUT JEUNE, T'ES MÊME PLUTÔT LIMITE...
T'EN AS DU TOUPET DIS DONC... TU SEMBLES OUBLIER QUE TU ES MON NICHON...
PARDON ?!...

JE VOULAIS DIRE QUE TU ES MON NÉNÉ... 64 ANS, C'EST L'ÂGE QUE TU AVAIS QUAND TU ES DEVENU PRÉSIDENT...

BON, ÇA VA, PARLONS D'AUTRE CHOSE...
LES SONDAGES, ÇA VA MIEUX ?

AH BON ! ET ÇA T'AIDE ?...
OUI BEAUCOUP MIEUX, J'AI OBTENU LE SOUTIEN DU COMMANDANT COUSTEAU...
NON, MAIS IL A PROMIS DE M'APPRENDRE À PLONGER ...

DIS DONC, C'EST UNE IMPRESSION OU QUOI... TU AS LES YEUX QUI CLIGNENT PLUS QUE D'HABITUDE ...
C'EST NORMAL, JE VIENS DE REGARDER MON CLIP !

TIENS, AU FAIT, J'AI VU QUE VOUS AVIEZ SUPPRIMÉ DE GAULLE ET GISCARD...
QUI ÇA ?

DE GAULLE ET GISCARD...
QUI ÇA ?

BON D'ACCORD !!!

TENEZ, MONSIEUR JEANNOT...
...PERMETTEZ-MOI DE VOUS OFFRIR CETTE FIGURINE À MON EFFIGIE ! MAIS NE VOUS AMUSEZ PAS À Y PLANTER DES AIGUILLES DEDANS, COMME LES SORCIERS VAUDOUS !

VAUDOU ! VAUDOU ! AVEC TOI CE SERAIT PLUTÔT DU VEAU GRAS ...
C'EST INTELLIGENT ! JE VAIS LA RACONTER À LÉO...
NON !

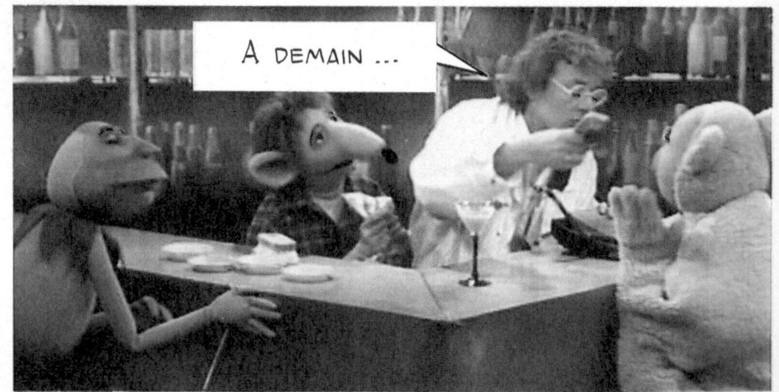
A DEMAIN ...

14 AVRIL 1988

J-24

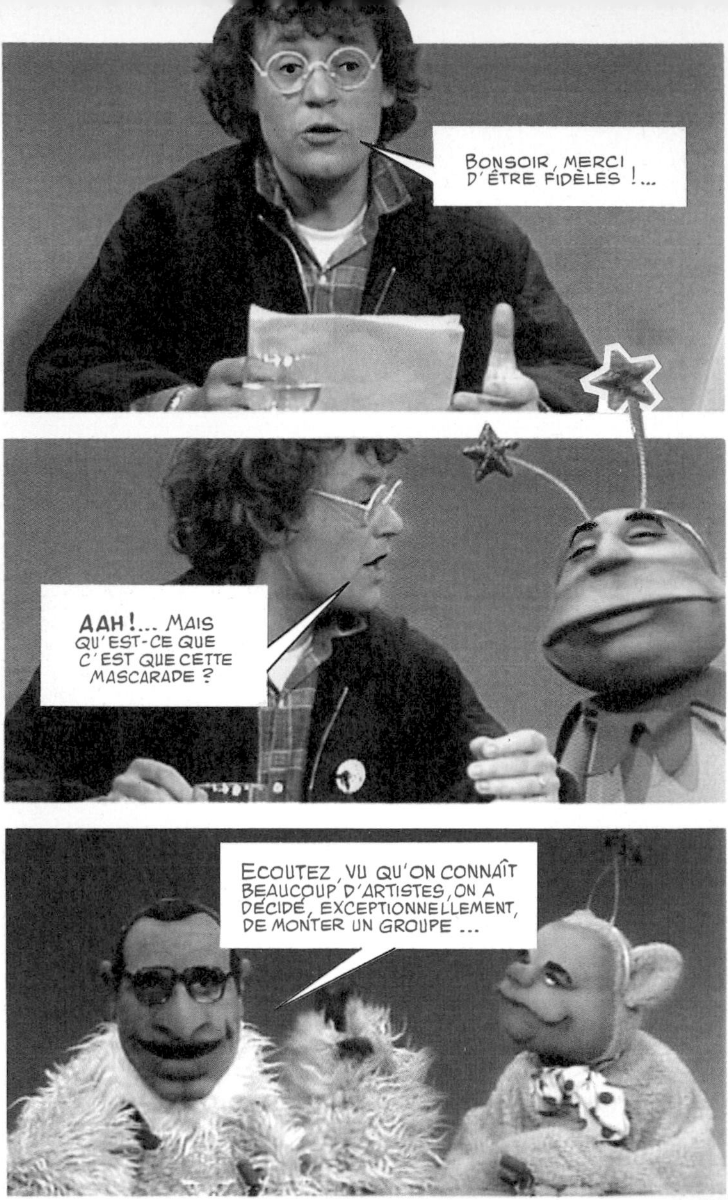

BONSOIR, MERCI D'ÊTRE FIDÈLES !...

AAH !... MAIS QU'EST-CE QUE C'EST QUE CETTE MASCARADE ?

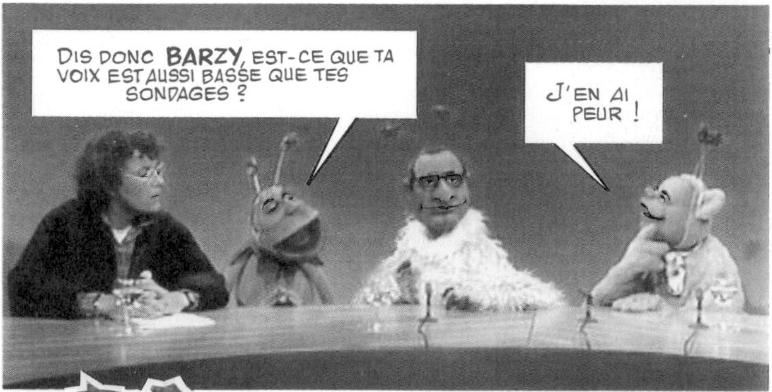

DIS DONC **BARZY**, EST-CE QUE TA VOIX EST AUSSI BASSE QUE TES SONDAGES ?

J'EN AI PEUR !

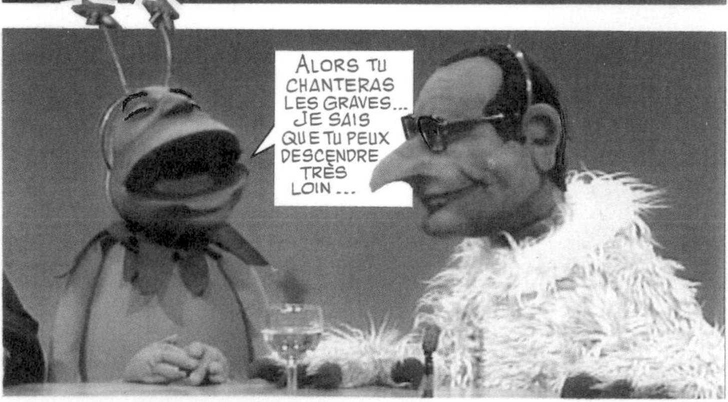

ALORS TU CHANTERAS LES GRAVES... JE SAIS QUE TU PEUX DESCENDRE TRÈS LOIN ...

TU PARLES DE MA VOIX ?
NON, JE PARLE DE TES VOIX !!

ET MOI, JE VAIS FAIRE LES AIGUS...
TRÈS BIEN, ALORS ON T'APPELLERA GUS, ET ON TE DIRA : VOUS AVEZ L'HABITUDE DE FAIRE L'AIGU, GUS...

ELLE EST EXCELLENTE !... JE VAIS TÉLÉPHONER À LÉO !

NE FAITES PAS ÇA ! ... CELLE-LÀ, ELLE EST TROP DURE POUR VOUS !

OUI, ET IL FAUT BIEN TROUVER UN TRUC POUR INTÉRESSER LES ÉLECTEURS ! QUAND ON PENSE QUE LA CAMPAGNE OFFICIELLE NE FAIT QUE 9% D'INDICE D'ÉCOUTE ...
... ET PUIS, QUAND ON CHANTE ENSEMBLE, C'EST DE LA COHABITATION VOCALE .

ON EST PULVÉRISÉ PAR **MAGUY** ET FRACASSÉ PAR LE **BÉBÊTE SHOW** QUI FAIT AU MOINS 27 %...

ET EN PLUS, COMME ON DIT À PEU PRÈS LA MÊME CHOSE TOUS LES TROIS, LES TÉLÉSPECTATEURS ÉCRIVENT POUR SE PLAINDRE DES REDIFFUSIONS ABUSIVES...
ALORS Y A PLUS QUE ÇA : ON VA SE METTRE À CHANTER. PEUT-ÊTRE QUE ÇA LES INTÉRESSERA...

MESDAMES, MESSIEURS, À L'OCCASION DES ÉLECTIONS PESTILENTIELLES, VOICI LE GRAND ORCHESTRE DU SORDIDE...

JE N'AIME PAS LES GENS DE GAUCHE. JE LES TROUVE TOUS MOUS. ET J'AI DIT À LA TÉLOCHE. QUE LEUR PROGRAMME ÉTAIT FLOU.

QUI A DIT QUE J'ÉTAIS MOU ?
ÇA C'EST NOUS, ÇA C'EST NOUS ! ÇA Ç'EST NOUS !
JACK LANG

ET QUE MON PROGRAMME ÉTAIT FLOU ?
ENCORE NOUS, ENCORE NOUS, ENCORE NOUS !
JACK LANG

JACK LANG EST EN CAOUTCHOUC, JACK LANG EST EN CAOUTCHOUC !
JACK LANG
AH! BON, JACK LANG EST EN CAOUTCHOUC ?

JE SUIS PLUS NERVEUX QU'UN BEEFSTEAK DE DEUXIÈME CATÉGORIE. JE NE SUPPORTE PAS LES MECS ENDORMIS ET RAMOLLIS...

JACK LANG EST EN CAOUTCHOUC, JACK LANG EST EN CAOUTCHOUC...
JACK LANG
JACK LANG

JE SUIS BIEN DEDANS MA GRAISSE... BIEN QU'UN PETIT PEU BALOURD... POURTANT J'ME REMUE LES FESSES... POUR ARRIVER AU SECOND TOUR...

JACK LANG EST EN CAOUTCHOUC, JACK LANG EST EN CAOUTCHOUC...
OUF, OUF, OUF...
JACK LANG

ARLETTE LAGUILLER... PLANTÉE !
ANDRÉ LAJOINIE... LARGUÉ !

JEAN-MARIE LE PEN... GRILLÉ !
ANTOINE WAECHTER... PLUMÉ !

PIERRE JUQUIN... VIRÉ !
YVES MOUROUSI... VIRÉ !

BOUSSEL LAMBERT... QUI C'EST ?! YVES MONTAND... CASQUÉ !

HENRI KRAZUKI ...CGT !
JEAN-PIERRE ELKABACH... ENTREZ !

LES SOCIALOS C'EST DE LA GUIMAUVE, Y SONT MOUS COMME DES BOUDINS TANDIS QUE MOI JE SUIS UN FAUVE. JACK LANG EST MOU COMME UN COUSSIN. ECOUTEZ :

JACK LANG EST EN CAOUTCHOUC ... JACK LANG EST EN CAOUTCHOUC ! ...
JACK LANG

IL EST EN CAOUTCHOUC !
OUF ! OUF ! OUF !
JACK LANG EST EN CAOUTCHOUC ...

15 AVRIL 1988

J–23

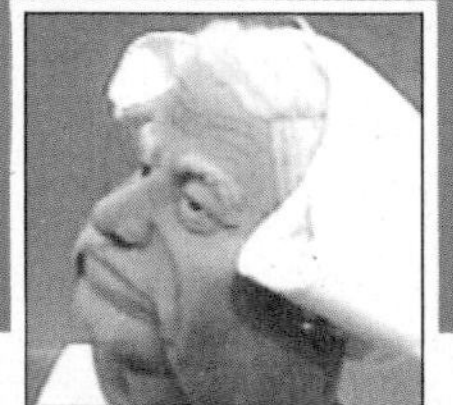

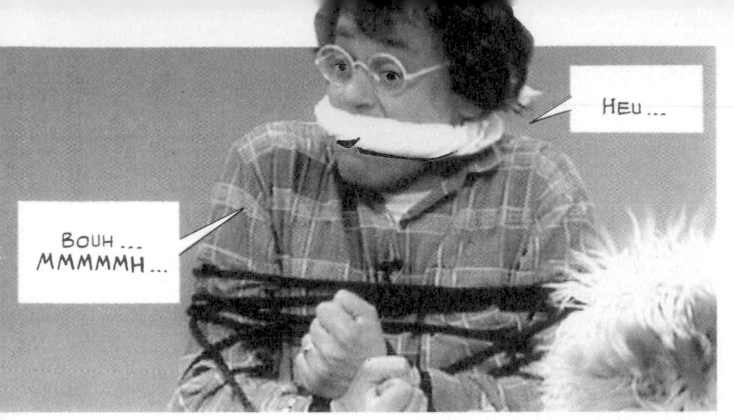
HEU ...
BOUH ...
MMMMMH ...

CE SOIR, IL N'Y AURA PAS DE BÉBÊTE SHOW : Y EN A MARRE ...
ILS NOUS FONT PASSER POUR DES ANDOUILLES ...

VOUS VOUS RENDEZ COMPTE, ILS OSENT DIRE QUE JE ME PRENDS POUR DIEU, ET QUE JE N'AI PAS DE PROGRAMME ...

ÇA, QUE TU N'AS PAS DE PROGRAMME, C'EST UN PEU VRAI !

C'EST POSSIBLE, MAIS C'EST PAS UNE RAISON POUR LE DIRE À TOUT LE MONDE... **DIEU** N'EST PAS CONTENT ! **DIEU** EN A PLEIN LES BOTTES !

ET MOI, ILS ME FONT PASSER POUR UN NERVEUX ! UN AGITÉ ! ENFIN, BORDEL DE PIGEON...

...TOUT LE MONDE LE SAIT, QUE JE SUIS UN CALME, CROTTE DE CANICHE !

ET MOI, ILS ME FONT PASSER POUR UN CRÉTIN QUI NE COMPREND JAMAIS RIEN... C'EST PAS VRAI, VOUS ALLEZ VOIR...

J'AI UNE CONTRE-PÈTERIE TRÈS AMUSANTE : **HELMUT, KOHL** A PROPOSÉ LA BOTTE À **GORBATCHEV** DANS LA VILLE DE **KHIEL**...
C'EST LA BOTTE DE **KHIEL**... IL NE FAUT PAS CONFONDRE LA BOTTE DE KHIEL AVEC LA **BITE DE KHOL** !...

ALLÔ LÉO... ÉCOUTE CELLE-LÀ ! IL NE FAUT PAS CONFONDRE LA BOTTE DE KHIEL AVEC LA QUÉQUÊTE D'HELMUT...

ÇA NE LE FAIT PAS RIRE... ILS ONT PEUT-ÊTRE RAISON, JE DOIS ÊTRE TRÈS CON...

ET MOI, IL ME RIDICULISE... ILS FONT CROIRE AUX GENS QUE JE SUIS ENCORE PLUS BÊTE QUE BARRE...
MAIS NON, DÉDÉ, TU SAIS BIEN QUE C'EST IMPOSSIBLE...

ET MOI, REGARDEZ LA TÊTE QU'ILS M'ONT FAITE, JE SUIS HIDEUSE... UN VRAI BOUDIN...

TE PLAINS PAS, MOI J'AURAIS FAIT PIRE ET JE TROUVE MÊME QUE C'EST EN DESSOUS DE LA VÉRITÉ...
BOUOU-OUH...

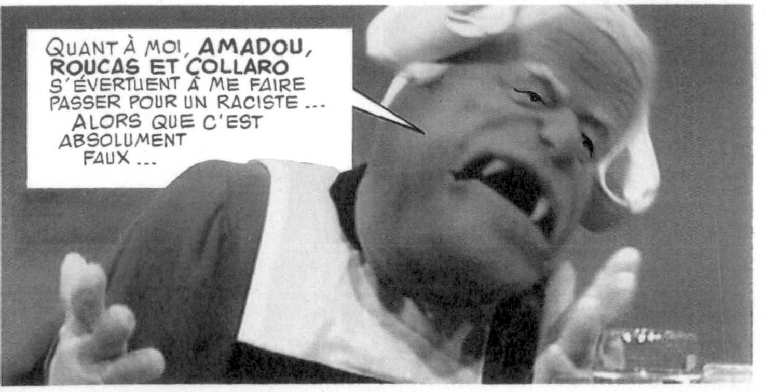
QUANT À MOI, **AMADOU, ROUCAS ET COLLARO** S'ÉVERTUENT À ME FAIRE PASSER POUR UN RACISTE... ALORS QUE C'EST ABSOLUMENT FAUX...

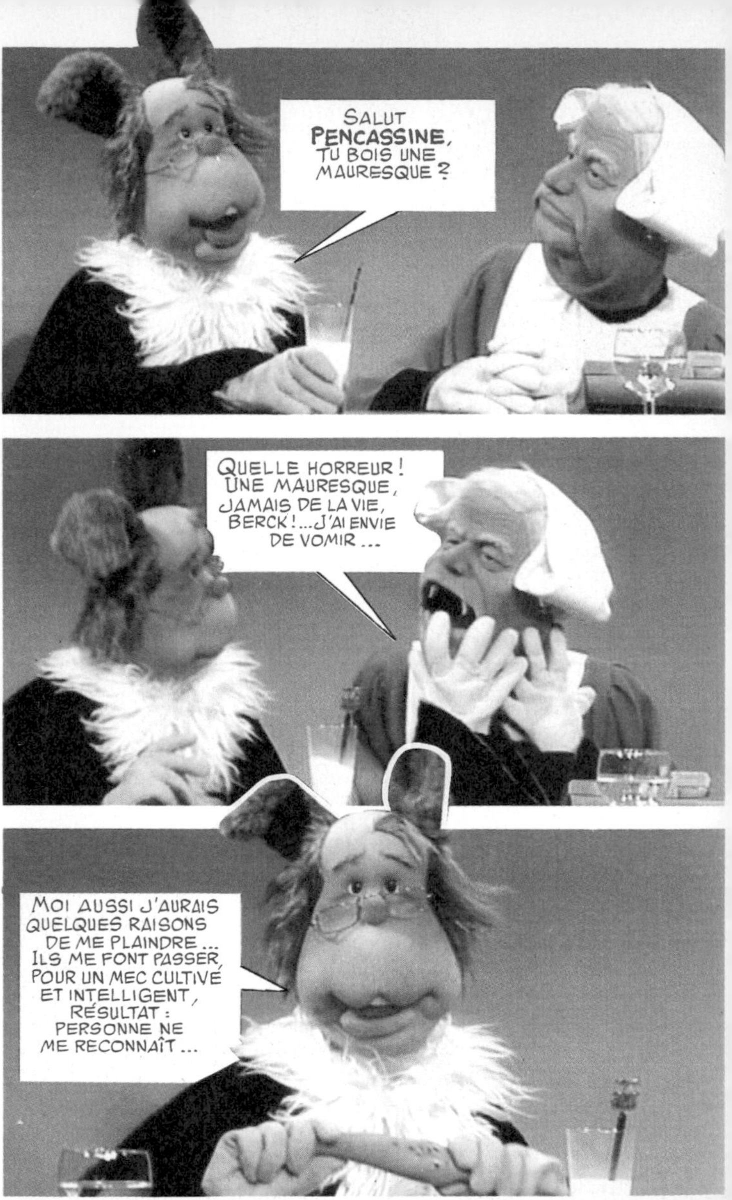

QUELLE HORREUR ! UNE MAURESQUE, JAMAIS DE LA VIE, BERCK !... J'AI ENVIE DE VOMIR...

MOI AUSSI J'AURAIS QUELQUES RAISONS DE ME PLAINDRE... ILS ME FONT PASSER POUR UN MEC CULTIVÉ ET INTELLIGENT, RÉSULTAT : PERSONNE NE ME RECONNAÎT...

C'EST LA RÉSULTANTE ÉVIDENTE D'UNE TRANSPOSITION HISTRIONESQUE ET GESTUELLE QUI DÉCOULE DU PRINCIPE FONDAMENTAL... BON, ÇA N'INTÉRESSE PERSONNE, JE M'EN VAIS...

AHHAH !... AH, LES SAGOUINS, AH, LES DÉGUEULASSES ! MOI, ON NE ME VOIT JAMAIS ! ILS ME FONT PASSER POUR UN "HAS-BEEN"... ALORS QUE TOUT LE MONDE ME CONNAÎT...

... HEIN, ROUCAS VOUS ME CONNAISSEZ POURTANT ?

HON !!!

MAIS SI ! RAPPELEZ-VOUS, J'AI ÉTÉ PRÉSIDENT ! C'EST MOI : VALY !

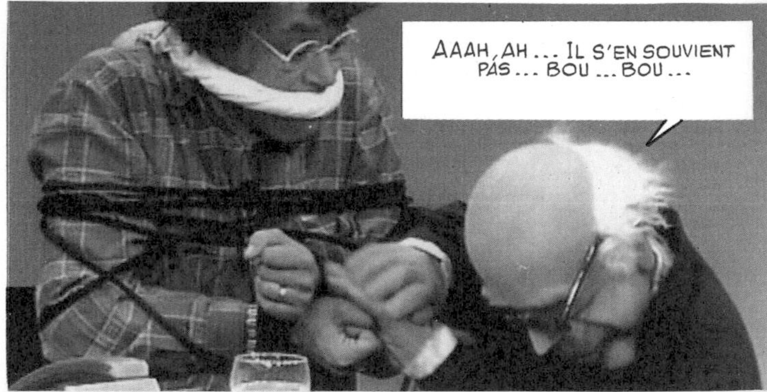
AAAH, AH ... IL S'EN SOUVIENT PÁS ... BOU ... BOU ...

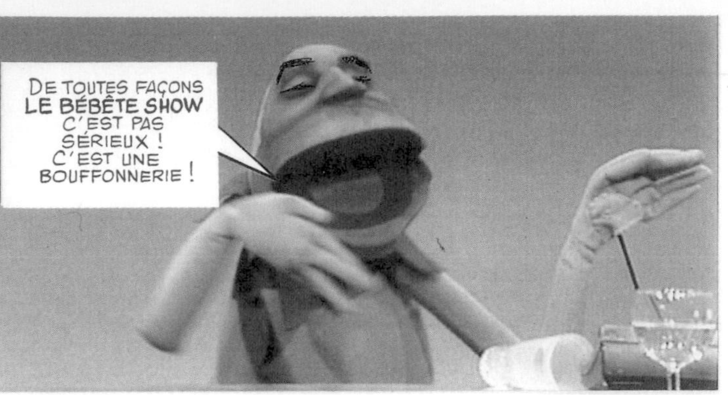
DE TOUTES FAÇONS LE BÉBÊTE SHOW C'EST PAS SÉRIEUX ! C'EST UNE BOUFFONNERIE !

EXACTEMENT ! C'EST UNE PANTALONNADE GROTESQUE...

FAUT QUAND MÊME PAS DÉCONNER...
LES HOMMES POLITIQUES, C'EST PAS DES MARIONNETTES, SANS BLAGUE...

EXACTEMENT !... LA PREUVE, C'EST QU'EN GÉNÉRAL LES MARIONNETTES SONT MANIPULÉES... ALORS QUE LES HOMMES POLITIQUES...

BON, BEN, TU FERMES TA GUEULE, PARCE QUE C'EST PAS UN BON EXEMPLE, HEIN ...

...ET À DEMAIN ...
SI **DIEU** LE VEUT ...

18 AVRIL 1988

J-20

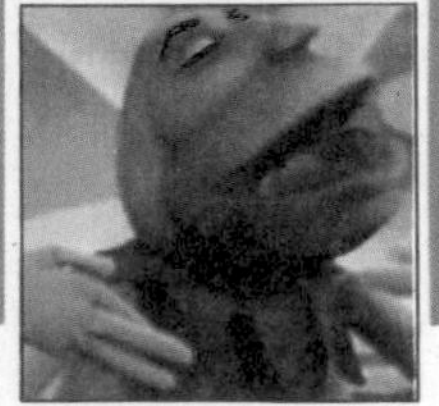

REGARDEZ, J'AI MON DERNIER SONDAGE...

FAIS VOIR ! FAIS VOIR !

AH ! ATTENTION, VOUS NE POUVEZ PAS LE COMMUNIQUER : C'EST INTERDIT DEPUIS CE MATIN !

ON PEUT TOUJOURS LE REGARDER...
OUI, MAIS VOUS N'AVEZ PAS LE DROIT DE LE COMMENTER !

AHAH !
OHOH !!

BOF !
"AHAH ! OHOH ! BOF !" C'EST PAS DES COMMENTAIRES ÇA ?!

C'EST QUAND MÊME SCANDALEUX !... LES CANADIENS ONT MIS EN PRISON DES FRANÇAIS PARCE QU'ILS PÊCHAIENT DANS LEURS EAUX TERRITORIALES;
TOUT LE MONDE VIENT ME PÊCHER MES VOIX ET PERSONNE NE VA EN PRISON !

MAIS, TU NE SERAS PAS ÉLU, PENCASSINE ... PERSONNE N'A FAIT PLUS QUE MOI DANS CE PAYS...
...DANS TOUS LES DOMAINES... LE CHÔMAGE, LA CRISE DU LOGEMENT...

ON PEUT SAVOIR CE QUE TU AS FAIT POUR LA CRISE DU LOGEMENT ?

BEN, C'EST QUAND MÊME MOI QUI AI TROUVÉ UNE VILLA À **DUVALLIER**, ET SUR LA CÔTE D'AZUR EN PLUS...
... ET J'EN CHERCHE UNE POUR **BOCASSA**...

OUI... REMARQUE, Y SERAIT PAS NOIR, IL SERAIT SYMPA...

MAIS ON VA QUAND MÊME PAS LEUR DONNER LE DROIT DE VOTE !
NON, SANS BLAGUE...

C'EST LA COULEUR DE LEURS IDÉES QUI TE GÊNE ?

NON ! C'EST PLUTÔT L'IDÉE DE LEUR COULEUR !

HÉ ! VOUS SAVEZ QU'À LA RÉUNION, J'AI PARLÉ "PETIT NÈGRE" ?...
..."OTE MARMAILLE. LAISSE CAUSER BAND SONDEURS, LA GROS POISSON Y BECQUE TOUJOURS SUR LA TARD. MI COMPTE SUR Z'OT COMME Z'OT Y COMPTE SUR MI. TIENS BO SERRER LA MAIN DANS LA MAIN DANS LA MAIN. NOUS VA MARCHÉ ENSEMBLE VERS LA VICTOIRE".

ET...ET ÇA VEUT DIRE QUOI ?
ÇA VEUT DIRE QUE JE SUIS MOINS CON QUE J'EN AI L'AIR !

TU AS RAISON DE PARLER PETIT NÈGRE, DE TOUTE FAÇON, EN FRANCE, IL PARAÎT QU'IL Y A 5 MILLIONS D'ILLETTRÉS, CE QUI FAIT 1 FRANÇAIS SUR 9 !

MAIS, J'Y PENSE, Y A NEUF CANDIDATS ...
EH OUAIS, JUSTEMENT ! ALORS JE ME POSE UNE QUESTION IDIOTE : "LEQUEL EST-CE ?"

BONJOUR TOUT LE MONDE ! COMMENT ALLEZ-VOUS BIEN ?...

TIENS, JUSTEMENT, ON PARLAIT DE TOI !
OH! T'ES VACHE, SI ÇA SE TROUVE, C'EST P'T'ÊTRE PAS LUI !

EH, ÇA PEUT PAS ÊTRE MOI ! J'AI ÉCRIT UNE LETTRE AUX FRANÇAIS, ÇA PROUVE BIEN QUE JE SAIS ÉCRIRE !
ET ÇA PEUT PAS ÊTRE MOI NON PLUS: J'AI ÉTÉ 1er MINISTRE!

ÇA PROUVE RIEN ! A L'ÉPOQUE DU RAINBOW WARRIOR, JE ME SUIS SÉRIEUSEMENT DEMANDÉ SI **FABIUS** SAVAIT LIRE !?

DE TOUTE FAÇON, LES SONDAGES ÇA VEUT RIEN DIRE ... LA PREUVE ... LA PREUVE ... MERDE, J'AVAIS UN TRUC INTÉRESSANT À VOUS DIRE ...
Friloc

... MAIS COMME **MARCHAIS** EST PAS LÀ POUR ME SOUFFLER, JE PRÉFÈRE ATTENDRE ... ... J'AI PEUR DE ME TROMPER !
Friloc

BON, D'APRÈS LES SONDAGES, SUR 100 FRANÇAIS, Y EN A 80 QUI VONT ALLER VOTER ET 72 QUI ONT DÉJÀ CHOISI !
... BON, IL EN RESTE 8 À CONVAINCRE!...

... SUR CES 8, Y EN A 4 QUI S'EN FOUTENT, TROIS QUI AURONT AUTRE CHOSE À FAIRE, ET UN QUI SERA MALADE ...
DONC, IL N'EN RESTE PLUS QU'UN À CONVAINCRE...

MAIS QUI ALORS...?
PARCE QUE MOI JE SUIS CONVAINCU... ENFIN, PAS ENCORE VAINCU !
DITES, C'EST QUAND MÊME PAS MOI QUE VOUS VOULEZ CONVAINCRE ?
Friloc

! POURQUOI PAS?... 'EST-CE QUE US FAITES 24 AVRIL LE 8 MAI? -- VOUS ÊTES RIS ?
--- PARCE AVAIT SI VOUS RIEN À ÉVENTUEL-
QU'ON PENSÉ... AVEZ FAIRE, LEMENT ...

ATTENDEZ ÇA ME REVIENT ! MARCHAIS M'AVAIT DEMANDÉ DE VOUS DIRE UN TRUC : TOUS LES TRAVAILLEURS DOIVENT VOTER... POUR ...
Friloc

POUR ?... CHIRAC ?
OH ! NON ... ÇA DOIT PAS ÊTRE ÇA !...
Friloc

19 AVRIL 1988

J–19

1er TOUR -
2ème TOUR -
RESPIREZ -
SOUFFLEZ !

1er TOUR -
2ème TOUR ...
RESPIREZ,
SOUFFLEZ !

AH ! ÇA VA ! VOYEZ, JE NE MENTAIS PAS QUAND JE DISAIS QUE J'ÉTAIS EN FORME ET POURTANT JE POURRAIS L'ÊTRE, FATIGUÉ !
C'EST QUAND MÊME PAS LA RÉDACTION DE TON PROGRAMME QUI A PU TE FATIGUER !

COMMENT, EN 7 ANS JE ME SUIS TAPÉ LES GAFFES DE **FABIUS**, LES ÂNERIES D'**HERNU**, LES VACHERIES DE **ROCARD**, ET LA MAUVAISE HUMEUR DE **CHIRAC** ...ET VOUS TROUVEZ QU'IL N'Y A PAS DE QUOI ÊTRE FATIGUÉE ??

ET PUIS D'ABORD J'EN AI MARRE DE TE FRÉQUENTER... HIER TU ÉTAIS PAS LÀ, JE ME SENTAIS TRÈS BIEN.... ET D'ABORD OÙ TU ÉTAIS ??

ECOUTEZ, AU SALON DU LIVRE ... LA CULTURE C'EST IMPORTANT !

TU AS ACHETÉ UN LIVRE ?
INUTILE, J'EN AI DÉJÀ UN !

ALORS, ET CE FACE-À-FACE, VOUS ALLEZ NOUS LE FAIRE ?

ON PEUT PAS FAIRE DE FACE-À-FACE, SUR SES AFFICHES IL EST TOUJOURS DE PROFIL.

JE SUIS DE PROFIL, ÇA M'ÉVITE DE LOUCHER VERS L'EXTRÊME-DROITE COMME CERTAINS QUE JE CONNAIS...
...ET TOC! DIEU EST EN FORME AUJOURD'HUI !

CETTE PERSPECTIVE D'UN FACE-À-FACE
MÉDIATIQUE DANS L'ÉVENTUA-
LITÉ D'UNE ÉCHÉANCE
AMBIVALENTE QUI N'EST
PAS ENCORE SACRALISÉE,
ME PARAÎT HORS DE PROPOS !

MAIS QU'EST-CE QU'IL VEUT DIRE PAR LÀ ?

OH ÇA SUFFIT, NE FAITES PAS COMME DANS **LE BÉBÊTE SHOW !** ON ME FAIT SANS ARRÊT PRONONCER DES PHRASES INCOMPRÉHENSIBLES !... JE VAIS VOUS PARLER COMME JE PARLE À MES ÉLECTEURS...

MAIS TU VEUX QU'ON SORTE ? TU N'AS PEUT-ÊTRE PAS L'HABITUDE D'AVOIR AUTANT DE MONDE AUTOUR DE TOI, DANS TES MEETINGS ?!

JE VAIS VOUS RÉSUMER CLAIREMENT MA PENSÉE : L'OCTROIEMENT COLLÉGIAL DU DROIT DE VOTE AUX JEUNES ÉPHÈBES MINÉS PAR L'ATTENTE DE LA MAJO-RITÉ LÉGALE DOIT S'INS-CRIRE DANS LA DÉMARCHE LÉ-GITIME D'ACCESSION AUX ...

...PRÉROGATIVES ESSENTIELLES D'UNE SOCIÉTÉ ADULTE QUI ASSIMILERAIT PARFAITEMENT CES DIFFÉRENCIATIONS ETHNIQUES !... C'EST PAS CLAIR ÇA ??

MONSIEUR **JEANNOT**, VOUS N'AURIEZ PAS UNE ASPIRINE... IL M'A FILÉ UNE MIGRAINE DE COURGE !

BOUHOUH ! T'AS RAISON ! À CÔTÉ DE LUI **BALLADUR**, C'EST **COLUCHE** !

...BON, JE N'INTÉRESSE PERSONNE, JE M'EN VAIS !

DIS DONC, KERMITTERRAND, HEUREUSEMENT POUR TOI QU'IL A REFUSÉ D'ÊTRE MINISTRE DANS TON GOUVERNEMENT !

MAIS QUELLE MANIE DE REFUSER DES MINISTÈRES QUE PERSONNE NE LUI PROPOSE !

TU DIS ÇA POUR ME MINER LE MORAL... POUR GAGNER IL FAUT AVOIR LE MORAL... J'AI UN MORAL D'ACIER ET TU N'ARRIVERAS PAS À ME LE SAPER!

EH BEN MOI C'EST PAREIL ! DIEU A UN MORAL IMPECCABLE ET RIEN NE SAURAIT L'ENTAMER!

HOU ! HOU ! HOU ! JE VIENS DE VOIR DES
TRAVAILLEUSES EXPLOITÉES QUI
CACHENT LEURS PAUVRES MAINS
COUVERTES D'ENGE-
LURES SOUS
DES GANTS DE VAIS-
SELLE RUGUEUX...

... ALORS QUE LES GRANDS PATRONS SE GAVENT D'ORTOLANS ET DE CAVIAR ET SE MOUCHENT DANS DES SERVIETTES EN SOIE ALORS QUE LES PAUVRES TRAVAILLEUSES SONT SOUVENT OBLIGÉES DE LAVER LE SOIR L'UNIQUE MOUCHOIR...

... EN PAPIER QUI A PARFOIS SERVI EN CES PÉRIODES DE GRIPPE À TOUTE UNE FAMILLE ... ET PARFOIS MÊME À SES VOISINS ! ...

BOUHOUH ! JE SUIS UN SALAUD ! JE NE PENSE PAS ASSEZ AUX PAUVRES !... JE TE PROMETS DE VOTER SOCIALISTE !
NON, NON, JE N'EN VAUX PAS LA PEINE ! JE NE SUIS PAS AUSSI BON QUE TU LE CROIS !

JAMAIS, EN 7 ANS DE POUVOIR, JE N'AI PARTAGÉ UN KLEENEX AVEC UN PAUVRE ! JE ME DÉGOÛTE ! JE VAIS VOTER POUR TOI, BLACK JACK ! AAHH ! SEULE LA DROITE PEUT SAUVER LE PAYS DE LA MISÈRE DANS LAQUELLE JE L'AI PLONGÉ !!

ARRÊTE ! NE ME DIS PAS ÇA !! C'EST MOI QUI VOTERAI POUR TOI ...
LA DROITE EST IGNOBLE !

...TIENS, ARLETTE, IL N'A PRATIQUEMENT PAS SERVI !!

20 AVRIL 1988

J-18

NOUS ALLONS ESSAYER D'EXPLIQUER LA DIFFÉRENCE QU'IL Y A ENTRE UN GROS CANDIDAT ET UN PETIT CANDIDAT ...

MAIS VOYONS, IL N'Y
CANDIDAT : C'EST
KERMITTERRAND
LE, SA DIVINE
LUMINEUSE
QUELLE J'ÉTAIS
MONTPELLIER
...
A QU'UN GRO
DIEU !
LA GRENOU
INTELLIGEN
AVEC L
HIER À

IL M'A EMMENÉ SUR LE CHEMIN DES OLIVIERS, IL TOMBAIT DES CORDES ET SOUDAIN IL A LEVÉ LA MAIN ... ET LÀ : MIRACLE !

LA PLUIE S'EST ARRÊTÉE !?

NON ! SON CHAUFFEUR EST ARRIVÉ, ON EST RENTRÉS !...

OUI, JE VOUS AI VUS EN PHOTO DANS LE JOURNAL, VOUS AVIEZ UNE TOUCHE... ON DIRAIT UN VIEUX CLICHÉ DE LA "BANDE À BONNOT"... BONJOUR LES TRONCHES...

LIRE EN PAGES 3 ET 4
Mignons
François Mitterrand hier avant son meeting à Montpellier, en compagnie de Michel Rocard. Promenade dans la campagne de l'Hérault. Ne sont-ils pas mignons ?
Le matin même, le candidat l'avait été beaucoup moins (mignon) en déclarant qu'il proposerait un débat à son concurrent au deuxième tour, mais que, pour l'instant, il ne pouvait pas « proposer dans le vide » dans la mesure où il ne savait pas lequel des candidats de la majorité restera en lice.
L'IMPER POUR PAS SE MOUILLER, ÇA C'EST BIEN VOUS...

ET LA CASQUETTE SUR L'ŒIL, POUR DISSIMULER LE "*FRONT POPULAIRE*" !

... ET LES PIEDS DANS LA MERDE ! MAIS ÇA, ON A L'HABITUDE !

AAAH! BLASPHÈME! SACRILÈGE!! ILS ONT INSULTÉ LE PLUS GROS DES CANDIDATS !... PARDONNEZ-LEUR, CAR ILS NE SAVENT PAS CE QU'ILS FONT !

MAIS C'EST CURIEUX, JE CROYAIS QUE LE PLUS GROS DES CANDIDATS C'ÉTAIT MOI !
...ECOUTE **BARZY**...

...TU N'ES PAS LE PLUS GROS CANDIDAT... TU ES LE PLUS LOURD !

MAIS ALORS... QU'EST-CE QU'UN GROS CANDIDAT ?

UN GROS CANDIDAT, C'EST CELUI QUI PÈSE LE PLUS SUR LES ÉLECTEURS !

TOI, TU SERAIS PLUTÔT CELUI QUI BAISE LE PLUS LES ÉLECTEURS !

LE QUOTIDIEN DE PARIS

Le coup de rein de Barre

Jean-Bernard Raimon
au « Quotidien »
C'est Jacque

"*LE COUP DE REIN DE BARRE*" !... QU'EN DIS-TU, **BLACK JACK** ??!

EH ! BEN, C'EST PAS COMME ÇA QUE TU Y ARRIVERAS ! ...

OUTEZ, ÇA DEVIENT
GUEULASSE, JE PRÉ-
RE ME RETIRER !

DIS DONC, À PROPOS **MARCHY**, **LAJOITRISTE** C'EST UN PETIT OU UN GROS CANDIDAT ?

NON, MAIS VOUS
UN CANDIDAT
PROBLÈME C'EST
SOIRS DANS
SHOW",
PASSER
IMBÉCILE!
CONTRE-
EN RÉALITÉ...
RIGOLEZ ...C'EST
ÉNORME! LE
QUE TOUS LES
LE "BÉBÊTE
ON LE FAIT
POUR UN
C'EST UNE
VÉRITÉ

... DE TOUS LES CANDIDATS, C'EST CELUI QUI A LE PLUS GROS **Q.I.** !
LE PLUS GROS Q.I. ? FAUT PAS NON PLUS...
VOUS ME CROYEZ PAS ?!

ALLEZ **DÉDÉ**, VIENS LEUR DIRE DE QUOI QUE C'EST QUE T'AS LE PLUS GROS DE TOUS LES CANDIDATS ?
J'AI LE PLUS GROS... LE PLUS GROS... LE PLUS GROS Q.

"I", ANDOUILLE !!
I. ANDOUIL-LE !

MAIS NON, "I", TOUT COURT !
I. TOUT COURT !!

BON, ALLEZ JE L'EMMÈNE À MOSCOU ... Y A PLUS QU'UNE SOLUTION :

... J'Y FAIS GREFFER UN CERVEAU ET JE VOUS LE RAMÈNE DEMAIN ! VOUS M'EN DIREZ DES NOUVELLES !!

AH ! J'AI UN SCOOP EN CE QUI CONCERNE LE FAMEUX FACE-À-FACE DU DEUXIÈME TOUR : J'AI TROUVÉ UN ADVERSAIRE À MA MESURE ... PARCE QUE, QUAND ON EST DIEU, C'EST PAS ÉVIDENT DE TROUVER UN ADVERSAIRE DE SA VALEUR ! J'AI DÉCIDÉ DE DÉBATTRE AVEC LE SEUL QUI SOIT DIGNE DE MOI, C'EST-À-DIRE : MOI !... UN FACE-À-FACE ENTRE DIEU ET LUI, C'EST-À-DIRE ... ENTRE MOI ET MOI !

REGARDEZ, C'EST TROP ! JE M'ENVOLE !!

OH !... REGARDEZ : IL LÉVITE !!

MOI AUSSI JE L'ÉVI-TE, ET DEPUIS UN MOMENT !...
TANT QU'À FAIRE, JE PRÉFÈRE QU'IL AILLE EMMERDER **DIEU** PLUTÔT QUE MOI !

21 AVRIL 1988

J-17

JE VOUS AI ENTENDUS, SUR EUROPE 1, AVEC ELKABACH... IL PARAÎT QUE VOUS AIMEZ LE BÉBÊTE SHOW ??

BIEN SÛR ! C'EST TRÈS AMUSANT LE BÉBÊTE SHOW ! UN PEU EXAGÉRÉ, PEUT-ÊTRE ... ILS DISENT QUE JE ME PRENDS POUR DIEU !
...C'EST FAUX !

JE NE ME PRENDS PAS POUR DIEU : JE SUIS DIEU !!! ... ET, EN TANT QUE DIEU, J'AI QUAND MÊME BIEN LE DROIT DE ME PRENDRE POUR MOI !?!

BON, ALORS, DIEU, CE DÉBAT POUR LE DEUXIÈME TOUR, ON LE FAIT OU ON LE FAIT PAS ?...

BEN, JE NE SAIS PAS ENCORE LEQUEL DE VOUS DEUX SERA ÉLIMINÉ AU PREMIER TOUR ?

C'EST VRAI ÇA, VOIS-TU BARZY, SI L'UN DE NOUS DEUX EST ÉLIMINÉ AU PREMIER TOUR... ÇA ME FERA BEAU-COUP DE PEINE POUR TOI !!

KERMITTERRAND, FRANCHEMENT, LEQUEL DE NOUS DEUX TU PRÉFÉRERAIS COMME ADVERSAIRE ?

POUR MOI, TU ES DE LOIN LE MEILLEUR DES DEUX !!

OUAIS : TRADUCTION... TE LAISSE PAS FAIRE, IL VEUT DIRE QUE TU ES LE PLUS CON !

QUANT À TOI, BLACK JACK, TU ES TROP VULGAIRE ... TOUJOURS À PARLER DE MON ÂGE, ALORS QUE DIEU N'A PAS D'ÂGE !! TU AS MÊME ÉTÉ JUSQU'À PARLER DE MA TAILLE ... 1m72 ! QUI CONNAÎT LA TAILLE DE DIEU, HEIN ?

DANIEL HECHTER ? CACHAREL ?

NON, PERSONNE !! OH, C'EST D'UNE VULGARITÉ ... VOUS SEREZ EXCOMMUNIÉS !!

TU AS VU ÇA : IL NOUS A TRAITÉS DE VULGAIRES !
NON, NON, IL N'A PAS DIT ÇA ! IL A DIT QUE TOI TU ÉTAIS VULGAIRE !!

MAIS ENFIN, BORDEL DE POULET ! --- CROTTES DE CANICHE ! ---
VULGAIRE, MOI ??? QUAND EST-CE QUE JE SUIS VULGAIRE ?

EH BIEN, PAR EXEMPLE QUAND TU PARLES DE SON ÂGE, TU NE DEVRAIS PAS DIRE : "LE PRÉSIDENT EST UN VIEUX CON"... ÇA, C'EST VULGAIRE !...

MAIS ... JE N'AI JAMAIS DIT ÇA !
NON, MAIS TU LE PENSES SI FORT, QU'IL A TOUJOURS L'IMPRESSION DE L'ENTENDRE !

ALORS QU'EST-CE QUE JE DEVRAIS DIRE AU PREMIER TOUR, QUAND JE T'AURAI ÉCRASÉ COMME UNE GROSSE M ...
COMMENT ?

PARDON, MA POULE ! ... QUELLE DEVRAIT ÊTRE MON ATTITUDE, SI J'AI L'INCROYABLE CHANCE DE TE PRÉCÉDER D'UNE COURTE TÊTE ... MA POULE !

EH BEN IL FAUDRA DIRE, PAR EXEMPLE : "JE FÉLICITE LE PRÉSIDENT POUR SON COURAGE ... SE PRÉSENTER À UN ÂGE OÙ BEAUCOUP SONT EN MAISON DE RETRAITE EST UNE CHOSE ADMIRABLE ! SURTOUT QUAND ON PENSE QU'IL DEVRA TENIR 7 ANS !!"

AH ! QUE C'EST VACHE ! ÇA, BRAVO ! C'EST SUBTIL !!

ALLÔ LÉO ? ECOUTE ! JE VIENS DE DIRE QUELQUE CHOSE DE SUBTIL ! ...OH ! OH ?!!! ...

QUE SE PASSE-T-IL ??

IL NE ME CROIT PAS ! **BOUHOUH !...**

TIENS VOILÀ LE MAL ÉLEVÉ ! LE VULGAIRE !! ...
CELUI QUI CAUSE UN FRANÇAIS...
QU'IL EST D'UNE VULGARITÉ
QUE MÊME À CÔTÉ DE LUI, **LE PEN**,
C'EST Mme **DE SÉ-VIGNOBLES**...
NON : **DE SÉVIGNÉ** !
... J'AI TROMPÉ !!

FERME TA GUEULE, ESPÈCE DE JAMBON AVARIÉ! LE PRO-CHAIN QUI DIT QUE JE SUIS VULGAIRE, JE LUI PLONGE LA TRONCHE DANS LA LUNETTE DES CHIOT-TES...
...ET JE TIRE LA CHASSE MOI-MÊME!!

QUEL AGITÉ CELUI-LÀ!...
AH! MONSIEUR JEANNOT, J'AI ÉTÉ À MOSCOU FAIRE GREFFER UN CERVEAU À DÉDÉ... BEN ÇA A MARCHÉ!

...MAINTENANT IL EST SUPER INTELLIGENT, HEIN, DÉDÉ?
VOUS POUVEZ NOUS FAIRE VOIR?

BIEN SÛR, ON VA ESSAYER ! J'ENLÈVE LE PANSEMENT, ET MAINTENANT... VAS-Y, DÉDÉ !...
Friloc

VOUS AURIEZ PAS DES FRITES UNE FOIS ?! ... IL FAUT VOTER BAUDOIN!... VOTEZ : BAUDOIN !
ENFER ET JAMBON DE PAYS ! ILS SE SONT GOURRÉS : ILS LUI ONT GREFFÉ UN CERVEAU DE BELGE !...
ALLEZ !!
Friloc

"DORS, MON P'TIT QUINQUIN ...!!"

22 AVRIL 1988

J–16

VOUS SAVEZ QUE C'EST NOTRE DERNIER RENDEZ-VOUS AVANT LE PREMIER TOUR ! ALORS, S'IL VOUS PLAÎT, DE LA TENUE, DE LA DIGNITÉ !!

TU PARLES ! MON CUL, OUI !
AH NON ! NE COMMENCE PAS, **BLACK JACK** !

EXCUSE-MOI MA POULE, JE VOULAIS DIRE : MON **Q.I.** !

OUI, EN TOUT CAS, DIMANCHE SOIR IL RISQUE D'Y AVOIR DES SURPRISES... IL FAUDRA PEUT-ÊTRE APPELER LE **S.A.M.U.** POUR LES SONDEURS...

D'AILLEURS, **S.A.M.U.** VEUT DIRE : *"SONDAGE ASSASSIN MANIPULÉ ULTÉRIEUREMENT!"*

ECOUTE, **BARZY**, SI TU GAGNES JE VEUX BIEN ME COUPER...

... EUH ... QU'EST-CE QUE JE POURRAIS BIEN ME COUPER ?...

EH ! DÉJÀ QUE TU ME COUPES LA PAROLE TOUS LES MERCREDIS AU CONSEIL DES MINIS-TRES ... ÇA IRA COMME ÇA !!

FIGUREZ-VOUS QU'À LILLE, LE GÉNÉRAL BIGEARD EST VENU À MON MEETING ... JE LUI AI DIT : "VOUS AVEZ 3 MINUTES POUR VIDER VOTRE CHARGEUR !"... IL M'A RÉPONDU :

"À MON ÂGE, C'EST LARGEMENT SUFFISANT !"

QU'IL EST DOUX ET AGRÉABLE ... MÊME POUR **DIEU** ... DE NE PAS SUBIR LES ANGOISSES DU PREMIER TOUR ! ... QUEL BONHEUR DE SAVOIR QU'ON VA ÊTRE ÉLU !! EN CE MOMENT, JE DORS COMME UN BÉBÉ !

MOI AUSSI JE DORS COMME UN BÉBÉ !

SANS BLAGUE ??

OUI ... JE ME RÉVEILLE TOUS LES QUARTS D'HEURE, ET JE PLEURE !

ET PUIS, QUEL PLAISIR DE NE PLUS ENTENDRE DE VULGARITÉS ... AU MOINS JUSQU'À DIMANCHE...
QUAND JE PENSE QUE **BIGEARD** À **LILLE**, JUSTEMENT, A OSÉ ME TRAITER DE SUPER-PAMPERS ...

... QU'EST-CE QU'IL A VOULU DIRE PAR LÀ !!?

IL A VOULU DIRE QUE MÊME QUAND TU TE MOUILLES, EH BIEN TU RESTES SEC !!

ÇA NE ME FAIT PAS RIRE !! JE VOUS LAISSE ENTRE BATTUS !

QUAND JE PENSE QUE **JEAN-MARIE LE PEN** A ENVOYÉ SA PLUS JEUNE FILLE **MARINE** AUX ANTILLES ... PARCE QU'IL AVAIT LA TROUILLE D'Y ALLER LUI-MÊME ...

AH BON ? ET POURQUOI ÇA ??
ECOUTEZ, IL EST AU PLUS MAL AVEC LES NOIRS !

ÇA ALORS ?! JE NE SAVAIS PAS !! ET POUR QUELLES RAISONS ?
ECOUTEZ, L'AUTRE JOUR IL A VU DEUX AFRICAINS SORTANT DU BOWLING DU BOIS DE BOULOGNE AVEC LEURS BOULES À LA MAIN ...

ET ALORS ?

IL A TAPÉ SUR LES BOULES AVEC UNE MASSUE, EN HURLANT : ... "IL FAUT DÉTRUIRE LES ŒUFS !"

ALLÔ LÉO ? J'EN AI UNE BONNE POUR TOI ... Y A LE PEN QUI A VU DEUX CHINOIS QUI SORTAIENT D'UNE ÉPICERIE, IL LEUR A TAPÉ DESSUS AVEC UNE CUILLÈRE EN BOIS EN HURLANT : "JE N'AIME PAS L'OMELETTE AU FROMAGE"...

JE NE COMPRENDS PAS ... IL N'A PAS RI !

AU FAIT, COMMENT ELLE S'APPELLE LA FILLE DE **LE PEN** ?
ECOUTEZ ! ELLE S'APPELLE **MARINE** !
... IL AURAIT MIEUX FAIT DE L' ENVOYE
EN CORSE ... ILS LUI AURAIENT CHANT
COMME **TINO** : **"MARINE EST LÀ**
... POUR REPRÉSENTER
SON PAPA... PARCE QUE LE
NOIRS N'EN VEULENT PAS .
QUAND ILS LE VOIENT, IL
CRIENT : **CACA !! ..."**

TU VOIS QUE TU ES VULGAIRE !

AU LIEU DE DIRE DES ÂNERIES, ÉCOUTEZ MON COMMUNIQUÉ : "APRÈS AVOIR COURAGEUSEMENT ENVOYÉ MA FILLE AUX ANTILLES AFIN QU'ELLE PRENNE À MA PLACE LES COUPS DE POINGS DANS LA GUEULE QUI M'ÉTAIENT DESTINÉS... J'AI DÉCIDÉ, NON MOINS HÉROÏ-

..."D'ENVOYER MA FEMME AU LIBAN POUR L'ÉCHANGER CONTRE LES OTAGES FRANÇAIS... ET SURTOUT...
...QU'ILS LA GARDENT!"

ECOUTEZ, VOILÀ QUI N'EST PAS BÊTE ! ... PUISQU'ON A LE DROIT D'UTILISER SA FAMILLE, JE VAIS ENVOYER **BERNADETTE** À **LOURDES**... CAR AU DEUXIÈME TOUR...
... UN PETIT MIRACLE NE ME FERAIT PAS DE MAL ! ...

Humour

BEAUNEZ	**Vive la carotte !** (BD 160, **5*** couleur) •
BINET	**Les Bidochon-1/Roman d'amour** (BD 4, **3***)
	Les Bidochon-2/En vacances (BD 48, **3***)
	Les Bidochon-3/... En HLM (BD 104, **3***)
	Les Bidochon-4/Maison, sucrée maison (BD 121, **3***)
	Les Bidochon-5/Ragots intimes (BD 150, 3*)
	Kador/Tome 1 (BD 27, **3***)
	Kador/Tome 2 (BD 88, **3***)
BRETECHER	**Les Gnangnan** (BD 5, **2***)
BRIDENNE	**Saison des amours** (BD 65, **4*** couleur) •
BROWNE	**Hägar Dünor le Viking-1** (BD 66, **3***)
BRUNEL	**Pastiches-1/École franco-belge** (BD 46, **5*** couleur) •
	Pastiches-2/École américaine (BD 115, **5*** couleur) •
COLLECTIF	**Baston, la ballade des baffes** (BD 136, **4*** couleur)
ÉDIKA	**Débiloff profondikoum** (BD 38, **3***) •
	Homo-sapiens connarduss (BD 156, **3***) •
FRANQUIN	**Idées noires** (BD 1, **3***)
	Gaston-1/Gala de gaffes (BD 17, **3*** couleur)
	Gaston-2/Gaffes à Gogo (BD 39, **3*** couleur)
	Gaston-3/Le bureau des gaffes (BD 70, **3*** couleur)
	Gaston-4/Gaffes en gros (BD 100, **3*** couleur)
	Gaston-5/Gare aux gaffes (BD 126, **3*** couleur)
	Gaston-6/Gaffes d'un gars gonflé (BD 152, **3*** couleur)
GOTLIB	**Pervers Pépère** (BD 8, **3***) •
	Rhââ Lovely-1 (BD 21, **3***) •
	Rhââ Lovely-2 (BD 55, **3***) •
	Rhââ Lovely-3 (BD 131, **3***) •
	Superdupont (BD 33, **3***)
	Gai-Luron-1 (BD 43, **3***)
	Gai-Luron-2 (BD 75, **3***)
	Gai-Luron-3 (BD 169, **3***)
	Hamster Jovial (BD 83, **2***) •
	Dans la joie jusqu'au cou (BD 93, **3***) •
	Rhâ-gnagna-1 (BD 159, **3***) •
HART	**B.C.-1** (BD 79, **3***)
	Le magicien d'Id-1 (BD 95, **3***)
LELONG	**Carmen Cru-1/Rencontre du 3e âge** (BD 14, **3***)
	Carmen Cru-2/La dame de fer (BD 64, **3***)
	Carmen Cru-3/Vie et mœurs (BD 119, **3***)
MANDRYKA	**Le Concombre masqué-1** (BD 110, **4*** couleur)
	Le retour du concombre masqué (BD 165, **4*** couleur)
McMANUS	**La famille Illico** (BD 73, **3***)
MORCHOISNE, MULATIER, RICORD	**Ces Grandes Gueules...** (BD 16, **4*** couleur)
	Ces grandes gueules télévisuelles (BD 170, **5*** c.) fév. 90
MORDILLO	**Les meilleurs dessins d'Opus** (BD 10, **4*** couleur)
ONC'RENAUD	**La bande à Renaud** (BD 76, **4*** couleur)
PÉTILLON	**Mr Palmer et Dr Supermarketstein** (BD 13, **5*** couleur)
	Jack Palmer/La dent creuse (BD 78, **5*** couleur)
	Jack Palmer/Une sacrée salade (BD 168, **5*** couleur)
PTILUC	**Destin farceur/Crescendo** (BD 147, **5*** couleur)
QUINO	**... Panorama** (BD 90, **2*** couleur)
SERRE	**Les meilleurs dessins** (BD 6, **5*** couleur) •
	Humour noir (BD 35, **5*** couleur) •
	A tombeau ouvert (BD 86, **5*** couleur) •

Aventures & fictions

ADAMOV & COTHIAS **Les Eaux de Mortelune-1** (BD 109, **5*** couleur) •

ARNO ET JODOROWSKY **Les Aventures d'Alef-Thau-1** (BD 164, **6*** couleur)

AUTHEMAN **Vic Valence-1/Une nuit chez Tennessee** (BD 41, **4*** couleur)

BERNET & ABULI **Torpedo-1/Tuer c'est vivre** (BD 25, **2***) •

Torpedo-2/Mort au comptant (BD 113, **2***) •

BOUCQ **Les pionniers de l'aventure humaine** (BD 34, **6*** couleur)

CAILLETEAU & VATINE **Fred et Bob-1/Galères Balnéaires** (BD 108, **4*** couleur)

CHARLES **Les pionniers du Nouveau Monde-1** (BD 103, **4*** couleur)

CEPPI **Stéphane-1/Le guêpier** (BD 116, **5*** couleur)

COMÈS **Silence** (BD 12, **5***)

La belette (BD 99, **5***)

DERMAUT & BARBET **Les Chemins de Malefosse-1** (BD 19, **5*** couleur) •

Les Chemins de Malefosse-2 (BD 71, **5*** couleur) •

Les Chemins de Malefosse-3/La vallée (BD 129, **5*** couleur) •

DETHOREY **Louis La Guigne-1** (BD 97, **4*** couleur)

DRUILLET **Les 6 voyages de Lone Sloane** (BD 60, **5*** couleur)

Vuzz (BD 94, **3***)

DRUILLET & DEMUTH **Yragaël ou la fin des temps** (BD 122, **5*** couleur)

FALK & DAVIS **Mandrake le magicien** (BD 58, **4*** couleur)

FOREST **Barbarella** (BD 49, **5*** couleur) •

FOREST & TARDI **Ici même** (BD 62, **6***)

FRED **Magic Palace Hôtel** (BD 72, **4***)

GIARDINO **Sam Pezzo-1** (BD 15, **3***)

JUILLARD & COTHIAS **Les 7 vies de l'épervier-1** (BD 77, **4*** couleur) •

Les 7 vies de l'épervier-2 (BD 144, **4*** couleur)•

LIBERATORE **RanXerox-1/A New York** (BD 3, **5*** couleur) •

Ran Xerox-2/Bon anniversaire Lubna (BD 161, **5*** couleur) •

MAKYO **Grimion Gant de cuir-1** (BD 157, **5*** couleur)

MAKYO & VICOMTE **Balade au Bout du monde-1** (BD 59, **5*** couleur)

Balade au Bout du monde-2 (BD 130, **5*** couleur)

PRATT **La ballade de la mer salée** (BD 11, **6***)

Sous le signe du Capricorne (BD 63, **6***)

Corto toujours un peu plus loin (BD 127, **6***)

Ernie Pike (BD 85, **4***)

RAYMOND **Flash Gordon** (BD 47, **5*** couleur)

SCHETTER **Cargo-1/L'écume de Surabaya** (BD 57, **5*** couleur) •

SEGRELLES **Le mercenaire-1/Le feu sacré** (BD 32, **4*** couleur)

Le mercenaire-2/La formule (BD 124, **4*** couleur)

SERVAIS & DEWAMME **Tendre Violette** (BD 42, **5***) •

SOKAL **Canardo-1/Le chien debout** (BD 26, **5*** couleur)

Canardo-2/La marque de Raspoutine (BD 89, **5*** couleur)

TARDI **Adèle Blanc-Sec-1/Adèle et la Bête** (BD 18, **4*** couleur)

Adèle Blanc-Sec-2/Le démon... (BD 56, **4*** couleur)

Adèle Blanc-Sec-3/Le savant fou (BD 120, **4*** couleur)

TARDI & MALET **Brouillard au pont de Tolbiac** (BD 36, **4***)

• Lecteurs avertis

Impression Lescaret
à Paris le 22 avril 1990
6001C-5 Dépôt légal avril 1990
ISBN 2-277-22824-9
Imprimé en France
Editions J'ai lu
27, rue Cassette, 75006 Paris
diffusion France et étranger : Flammarion